L'oie d'or

Barbara Reid

Texte français d'Isabelle Allard

Adaptation du conte des frères Grimm

Les illustrations de ce livre ont été réalisées avec de la plasticine mise en forme et pressée sur du carton à dessin. De la peinture acrylique et d'autres matériaux ont été utilisés pour créer des effets spéciaux.

Catalogage avant publication de Bibliothèque et Archives Canada

Reid, Barbara, 1957-
[Golden goose. Français]
L'oie d'or / Barbara Reid ; texte français d'Isabelle Allard.

(Je peux lire!)
Traduction de: The golden goose.
ISBN 978-1-4431-3326-5 (couverture souple)

I. Allard, Isabelle, traducteur II. Titre. III. Titre: Golden goose. Français. IV. Collection: Je peux lire!

PS8585.E4484G6514 2014 jC813'.54 C2013-906163-0
Photographie : Ian Crysler

Édition publiée par les Éditions Scholastic, 604, rue King Ouest, Toronto (Ontario) M5V 1E1 CANADA.

5 4 3 2 1 Imprimé à Singapour 46 14 15 16 17 18

Pour Ian

Il était une fois un homme riche appelé Auguste Leroy qui vivait dans un village près d'une forêt. Il adorait sa fille Gwendoline. Il la couvrait de présents, mais elle ne souriait jamais.

Le jour de son anniversaire, M. Leroy coupa des arbres et pava la mare aux grenouilles pour faire de la place pour son cadeau.

— Le jardin a disparu! s'écria Gwendoline, plus triste que jamais.

M. Leroy était triste, lui aussi.

— Jamais je n'arriverai à faire sourire ma princesse!

L
L
L
L

Dans la forêt vivaient une mère et ses trois fils. Le plus âgé était beau et intelligent. Le cadet était grand et fort.

Le benjamin s'appelait Robin. Il collectionnait les glands, sifflait avec les oiseaux et attrapait des grenouilles. Ses frères se moquaient de lui, mais il était heureux.

Un jour, la mère des trois garçons donna un sac de bonne nourriture à l'aîné et lui dit :

— Va dans la forêt couper du bois. La fortune te sourira.

En route, il rencontra un étrange petit homme.

— J'ai faim, dit ce dernier. Me donnerais-tu quelque chose à manger?

— Non, répondit le jeune homme. Va-t'en!

Il choisit un bel arbre. Mais au premier coup de hache, il se blessa au bras et rentra en courant à la maison.

Le lendemain, la mère prépara un sac de bonne nourriture et envoya le cadet dans la forêt.

— Je suis sûre que la fortune te sourira.

En route, il rencontra le petit homme.

— J'ai faim, dit ce dernier. Me donnerais-tu quelque chose à manger?

— Non, répondit le cadet. Laisse-moi passer!

Il choisit un bel arbre. Mais au premier coup de hache, il se blessa à la jambe et rentra en boitant à la maison.

Le lendemain, Robin annonça :

— Aujourd'hui, c'est moi qui irai dans la forêt.

Ses frères éclatèrent de rire.

— Tu n'es ni rusé ni fort, dit sa mère. Tu ne trouveras que des glands!

Comme il ne restait plus de bonne nourriture, Robin emporta un bout de pain et de l'eau.

En route, il rencontra le petit homme.

— Tu as l'air affamé, dit Robin. Je n'ai que de l'eau et du pain, mais je peux partager avec toi si tu veux.

Il mit la main dans sa poche et y trouva un flacon d'argent rempli de chocolat chaud et un sac de beignes.

Ils mangèrent et burent à satiété, assis au pied d'un arbre.

— Merci, dit le petit homme. Grâce à cet arbre, la fortune te sourira.

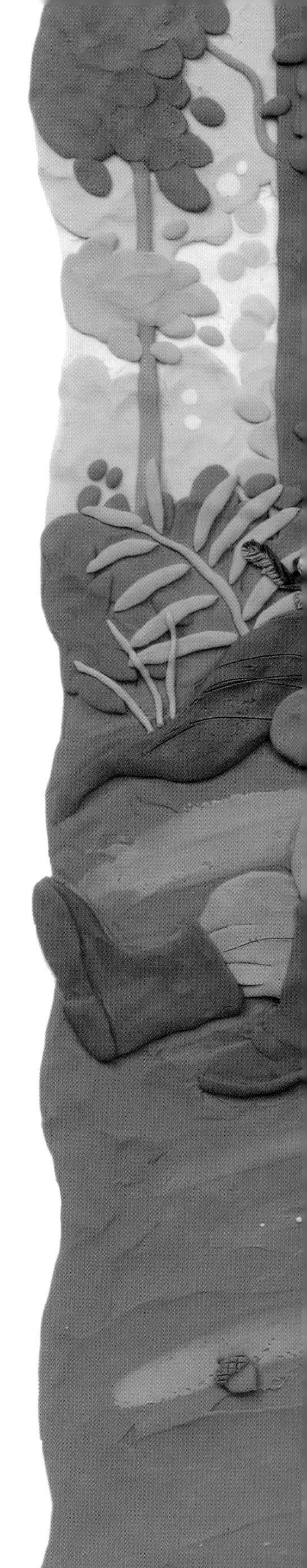

Robin observa l’arbre de haut en bas. Il en fit le tour. Il trouva une oie dans une cavité du tronc. Ce n’était pas une oie ordinaire. Ses plumes étaient en or!

— Je vais faire découvrir ce bel oiseau au reste du monde, déclara Robin.

Il nomma l’oie Dora. Il la prit sous son bras et partit vers le village.

Au coucher du soleil, il parvint à une auberge. La servante lui montra sa chambre.

— Tu peux payer avec ce flacon d'argent, dit-elle.

Une seule de ces plumes me rendrait riche, pensa-t-elle en regardant l'oie.

Au milieu de la nuit, la servante entra dans la chambre de Robin pour trouver l'oie et lui arracher une plume. Mais sa main resta collée à l'oie.

— À l'aide! s'écria-t-elle.

Une autre servante arriva en courant.

— Que se passe-t-il? demanda-t-elle.

Puis elle tenta de libérer son amie, mais resta collée elle aussi. Elles demeurèrent ainsi toute la nuit.

Robin se réveilla.

— Bonjour, Dora! dit-il.

Il mit l'oie sous son bras et partit au village.

Le chauffeur d'autobus scolaire attendait son déjeuner. Il vit les servantes courir derrière Robin. Il s'élança, saisit le ruban du tablier de la servante et sa main se retrouva collée.

Robin passa devant l'école. L'institutrice sortit voir où allait le chauffeur. Elle attrapa le chauffeur par le manteau et resta collée à son tour.

Une vieille dame qui jardinait vit passer ce défilé.

— Mes tulipes! s'écria-t-elle.

Elle pinça l'oreille de l'institutrice et se joignit à la file.

Le fermier attendait son tour chez le barbier quand la file passa dans la rue Principale.

— Où allez-vous tous ainsi? demanda-t-il.

Il prit le bras de la vieille dame et se fit entraîner.

Le barbier se lança à leur poursuite et resta collé comme les autres.

Robin marcha jusqu'à la grande maison où vivait Auguste Leroy.

La journée de M. Leroy avait mal commencé. Il avait promis la moitié de sa fortune à quiconque ferait sourire sa fille.

Quand Gwendoline vit la foule qui espérait empocher la fortune de son père, elle fronça les sourcils.

— Père, qu'as-tu fait? demanda-t-elle.

À ce moment-là, Robin, l'oie d'or, les deux servantes, le chauffeur d'autobus, l'institutrice, la vieille dame, le fermier et le barbier arrivèrent dans l'allée comme un train déchaîné.

Alors. . . Gwendoline se mit à rire, tout le monde se décolla et Robin tomba sous le charme de la jeune fille.

— Je m'appelle Robin, dit-il. Et voici Dora.

— Enchantée de faire ta connaissance, répondit Gwendoline.

Elle sourit à son père :

— Qu'en dis-tu?

M. Leroy ne voulait pas donner la moitié de sa fortune aussi vite.

— Ma fille a souri, mais cela durera-t-il? Si ma princesse sourit encore trois fois, l'affaire est conclue!

— Je collectionne les glands, dit Robin. Chacun donnera un bel arbre.

Gwendoline sourit.

Robin siffla et la cour se remplit d'oiseaux.

Gwendoline sourit de nouveau.

— Couac! fit Dora en donnant des coups de bec sur le sol. Couac!

Robin souleva un pavé et vit de l'eau.

— C'est l'endroit idéal pour une mare à grenouilles, dit-il.

Gwendoline éclata de rire et lui sauta au cou.

— Tu as gagné, dit M. Leroy. Félicitations, mon garçon!

M. Leroy invita tout le village à une grande fête.

Les gens mangèrent, chantèrent et dansèrent durant trois jours.

Et Robin, Gwendoline et Dora vécurent heureux jusqu'à la fin des temps.